Marlboro
vod

www.rebo-publishers.com
info@rebo-publishers.com

ISBN 90 366 1564 X

Tekst: Paolo D'Alessio
Redactie: Paola Morelli
Vertaling: Studio Imago, Amersfoort - Hans Keizer
Opmaak: Studio Imago, Amersfoort - Jacqueline Roest-Bronsema
Lithografie: Gi.Mac, Avigliano

Oorspronkelijk uitgegeven door Gribaudo, Italië onder de titel
Schumacher, The Winner. Proprietà letteraria e artistica

Tel. +39 0172 381300 fax +39 0172 389034
edizioni.gribaudo@libero.it
Printed in Italy

Michael Schumacher

Paolo D'Alessio

1994 2001
1995 2002
2000 2003

REBO PRODUCTIONS

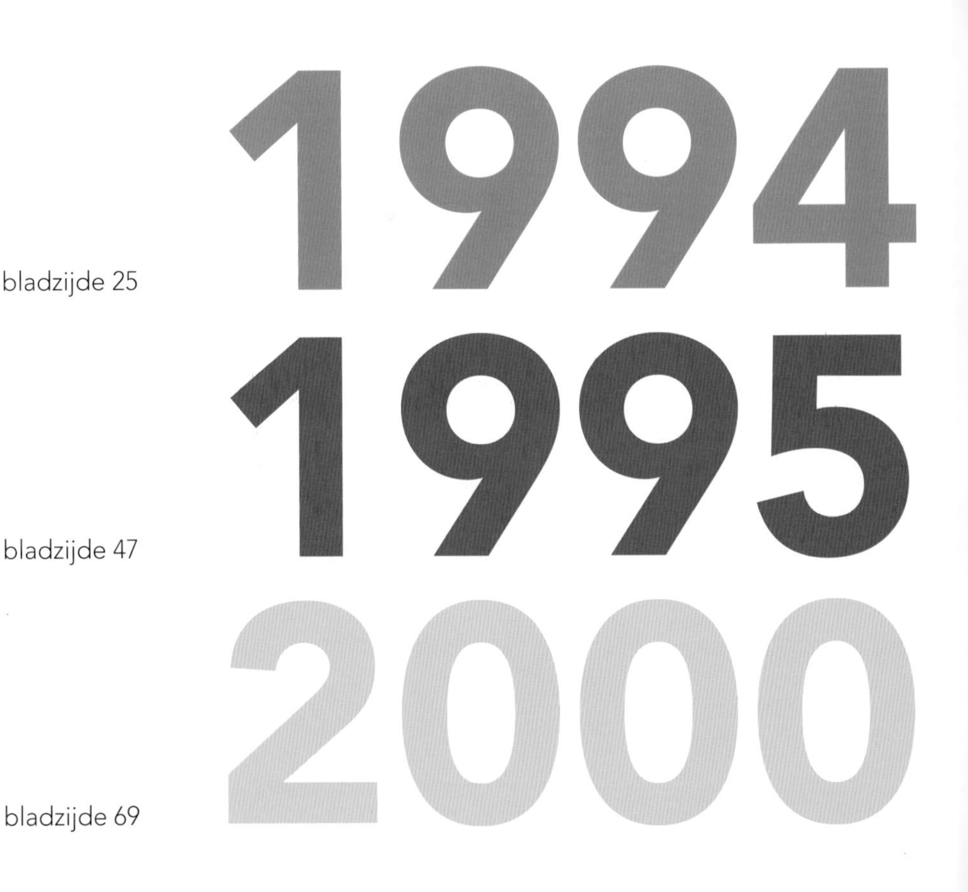

bladzijde 25
bladzijde 47
bladzijde 69

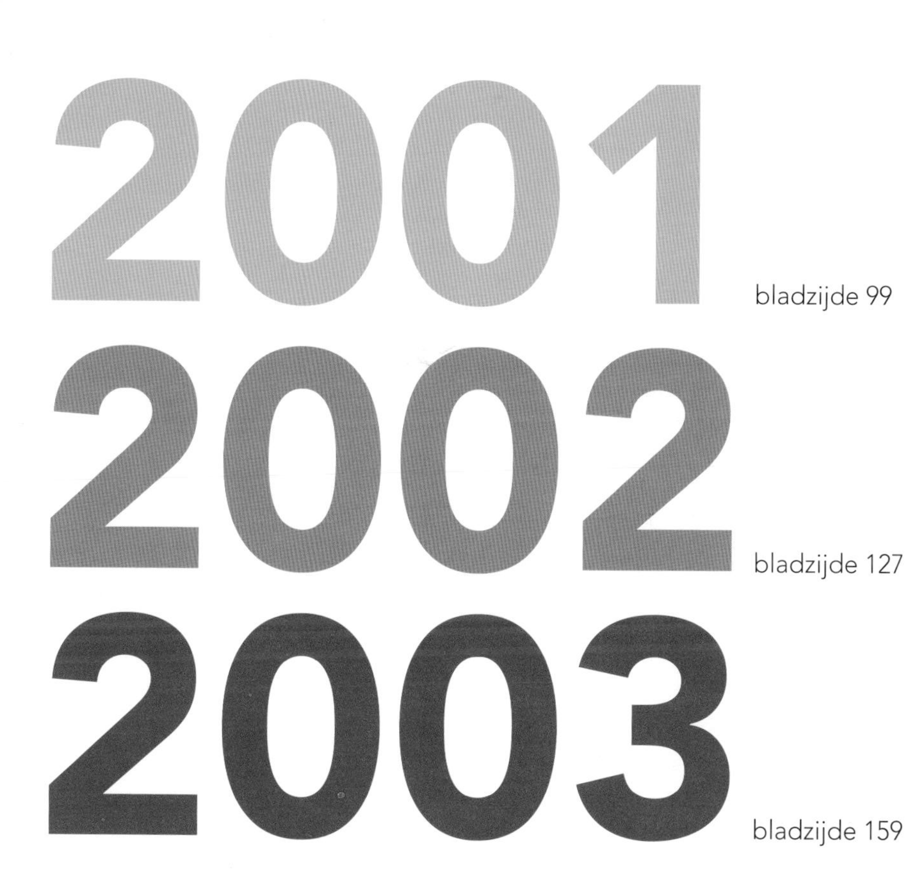

2001 bladzijde 99

2002 bladzijde 127

2003 bladzijde 159

Marlboro
FUJIFILM
DEKRA
32
7UP
osama
BP

Schumacher, het verhaal

1991 GP van België: een zekere Michael Schumacher maakt zijn debuut in de Jordan-Ford 32. De Duitse coureur zet tot ieders verrassing de zevende tijd neer in de kwalificatie, een prestatie waarmee hij meteen een overstap naar het team van Benetton onder leiding van Flavio Briatore verdient.

1992 GP van België: een jaar na zijn debuut in de Formule 1 wint Michael Schumacher de eerste grand prix race van zijn carrière…

1993 … een succes dat hij het jaar daarop herhaalt in de GP van Portugal. Aan het eind van het seizoen eindigt Schumacher met 52 punten als vierde in het algemeen klassement, achter Alain Prost, Ayrton Senna en Damon Hill.

1994 Michael Schumacher wint zijn eerste, controversiële wereldtitel met Benetton-Ford in een seizoen waar de tragische dood van Ayrton Senna een droevig stempel op drukt.

COLO
sparco
CAMEL
SANYO

GOODYEAR
TECHNOGYM
TECHNOGYM
DENIM
DENIM
UNITED COLORS OF BENETTON.
M.Schumacher
COLORS OF BENETTON

LOEWS
CAMEL
Power By
Ford
Mobil 1
SANYO
19
USEN
440
UNITED COLORS
OF BENETTON.
GOODYEAR
EAGLE

1995 Benetton stapt over op de tien-cilindermotor van Renault en Schumacher wordt voor de tweede keer wereldkampioen. Aan het eind van het jaar verruilt hij Briatores team voor dat van Ferrari.

1996 Schumacher wint drie races voor Ferrari (Spanje, België en Italië), ook al is de F310 niet een van de beste wagens op het circuit.

CAMEL
elf
MINOL
prince
BENETTON
SPORTSYSTEM
Sulá
UGARFREE
GOODYEAR
EAGLE
osama
Lpr
FINCA

DEKRA
Marlboro
OMP
FIAT
Marlboro
Marlboro
Mobil
Marlboro
Shell
Marlboro

Marlboro
Marlboro
Shell
Shell
GOODYEAR
GOODYEAR
MAGNETI MARELLI
FIAT
PIONEER
1
TELECOM

1997 In Jerez, tijdens de laatste race van het seizoen, verspeelt Schumacher zijn kans op de wereldtitel wanneer hij een paar ronden voor het einde tegen Jacques Villeneuve (Williams-Renault) botst.

1998 Een jaar later herhaalt de geschiedenis zich in Suzuka als hij een klapband krijgt, wat een eind maakt aan Schumachers kans op de titel.

Asprey
Marlboro
SCHUMACHER
DVAG
FOSTERS
Shell
PIONEER
TELECOM

Marlboro
Asprey
MOTORSCAN
Shell
GOODYEAR
TELECOM
ITALIA

DVAG
BELL
OMP

1999 Vanwege een ernstig ongeluk op Silverstone moet Schumacher enkele races missen. Toch wint Ferrari dat jaar de constructeurstitel.

2000-2003 – Recente geschiedenis, met de verovering van vier wereldtitels in vier seizoenen.

MILD SEVEN
MILD SEVEN
5
MILD SEVEN
SANYO

1994

1994

Michael Schumachers eerste wereldtitel was ongetwijfeld de onzekerste, zwaarst bevochten en meest controversiële in de carrière van de Duitse coureur. Het was een titel die hij op zijn tandvlees won, in een vreselijk seizoen waarop de dood van Ayrton Senna een droevig stempel drukte en waarin hij met een wagen reed die de nodige argwaan wekte.
Het seizoen begon met twee overwinningen voor de in Kerpen geboren coureur, terwijl Ayrton Senna en Williams-Renault, de favorieten voor de titel, buiten de punten eindigden. Het tragische keerpunt kwam in Imola, toen de Braziliaanse coureur het leven verloor bij een zwaar ongeluk in de Tamburello, waardoor Michael Schumacher vanzelf de positie van toonaangevende Formule 1 coureur kreeg. De Duitser liet niet na de verwachtingen waar te maken. Hij won wel, maar niet overtuigend. Zijn Benetton-Ford werd verdacht van het gebruik van illegale elektronische apparatuur.
Van zijn kant deed de coureur van Briatore, met zijn agressieve rijstijl waarin alles leek toegestaan, geen enkele moeite om de controverse te verzachten. De Duitser moest zelfs twee races missen omdat hij tijdens de GP van Groot-Brittannië een zwarte vlag negeerde. De beslissende GP van Australië wekte ook aardig wat beroering toen Schumacher, die duidelijk in de problemen zat, Damon Hill tot een fout dwong. De twee coureurs botsten en vielen uit, een incident dat de Duitser zijn eerste wereldtitel in de schoot wierp.

MILD SEVEN
SANYO
Vaporetto
saratoga
elf
MINOL
MILD SEVEN
5
BENETTON
SPORTSYSTEM
USAG
GOODYEAR

SANYO
elf
MINOL
MILD SEVEN
BENETTON

Michael Schumacher (hiernaast, op het podium van São Paulo) won tot ieders verrassing de GP van Brazilië, terwijl het plaatselijke idool Ayrton Senna en zijn Williams als favorieten werden beschouwd.

Na de tragische dood van Ayrton Senna tijdens de GP van San Marino werd Schumacher (die in Imola won) de toonaangevende coureur in de Formule 1.

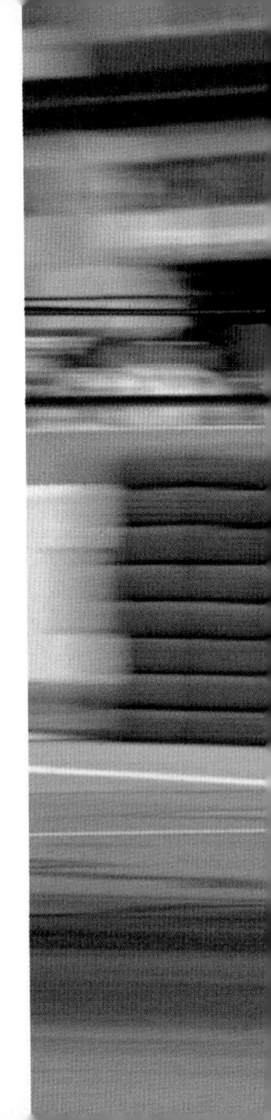

elf
MINOL
MILD SEVEN
SANYO
MILD SEVEN
BENETTON
SPORTSYSTEM
5
GOODYEAR
USAG
Lpr

Rothmans
RENAULT
elf
2
RENAULT
Rothmans
Rothmans
MAGNETI MARELLI

Ayrton Senna ligt voor op de Benetton van Schumacher in de eerste ronden van de GP van San Marino.

MILD
SEVEN

De dood van Senna greep Schumacher zeer aan. Voor de race van Monte Carlo overwoog de Duitse coureur ernstig zich uit de racerij terug te trekken.

Schumi won zes van de eerste zeven races om het kampioenschap in Brazilië, Aida, op Imola, in Monte Carlo, Canada en Frankrijk.

MILD SEVEN
GITANES BLOND
25
BENETTON
SPORTSYSTEM
GITANES
BLONDES
MILD SEVEN
MILD
SEVEN
MILD
SEVEN

elf
MINOL
MILD SEVEN
DIKRA
ENERVIT
TECHNOGYM
MILD
SEVEN
BENETTON
SPORTSYSTEM
GOODYEAR

ENERVIT
MILD SEVEN
MINOL
5
MILD SEVEN
GOODYEAR
Benetton Formula 1
MILD SEVEN
MILD SEVEN
VERSTAPPEN
UNITED

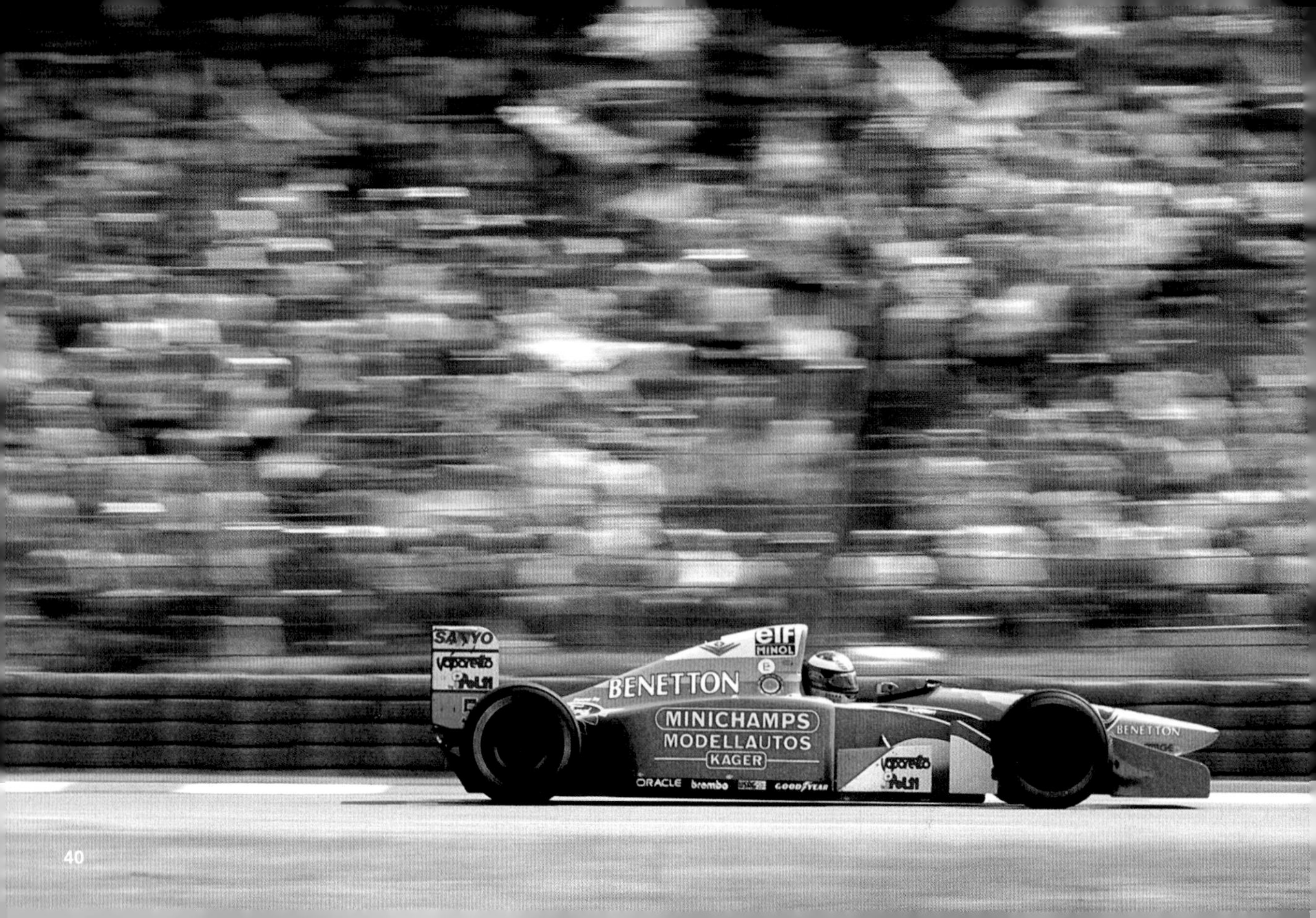
elf
MINOL
BENETTON
MINICHAMPS
MODELLAUTOS
KAGER
ORACLE
brembo
GOODYEAR
vaporetto
BENETTON

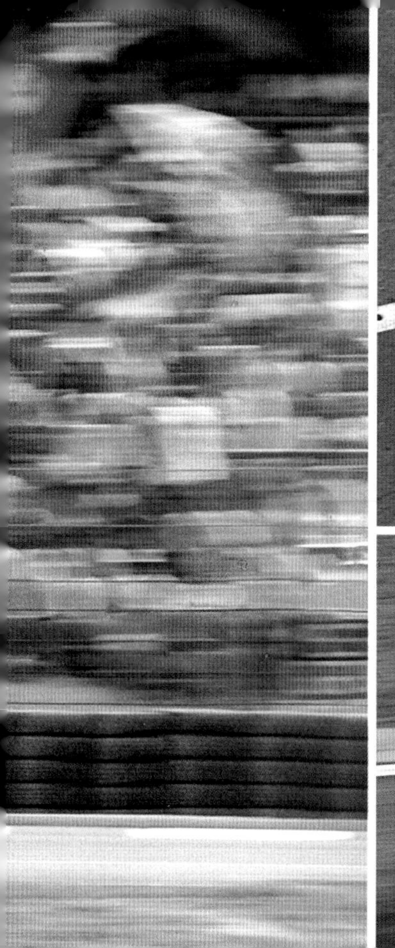

MILD SEVEN
MILD SEVEN
MILD SEVEN
BENETTON SPORTSYSTEM
5
SANYO

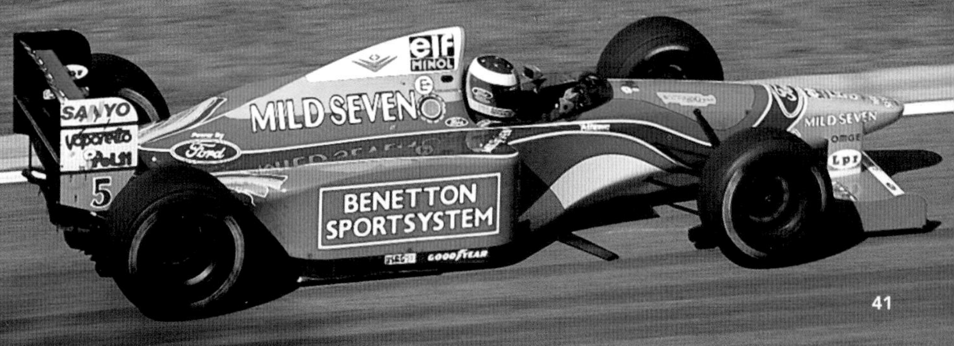
elf
MINOL
MILD SEVEN
SANYO
5
BENETTON SPORTSYSTEM
GOODYEAR
MILD SEVEN

MILD SEVEN

Na diskwalificatie van Schumacher door de FIA vanwege de gebeurtenissen op Silverstone werd Damon Hill een rivaal voor het kampioenschap van 1994.

Ford
Ford
ZETEC-R

IMOLA
SANYO
elf
MINOL
MILD SEVEN
BENETTON
SPORTSYSTEM
GOODYEAR
EAGLE
BBS
MILD SEVEN
Lpr

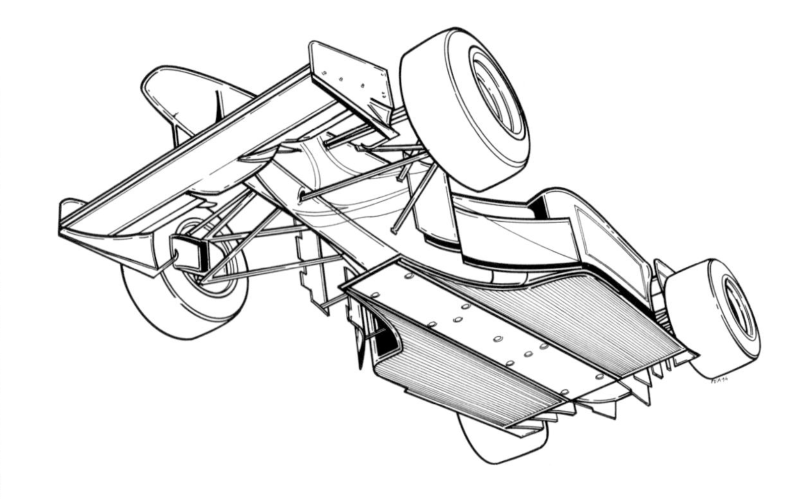

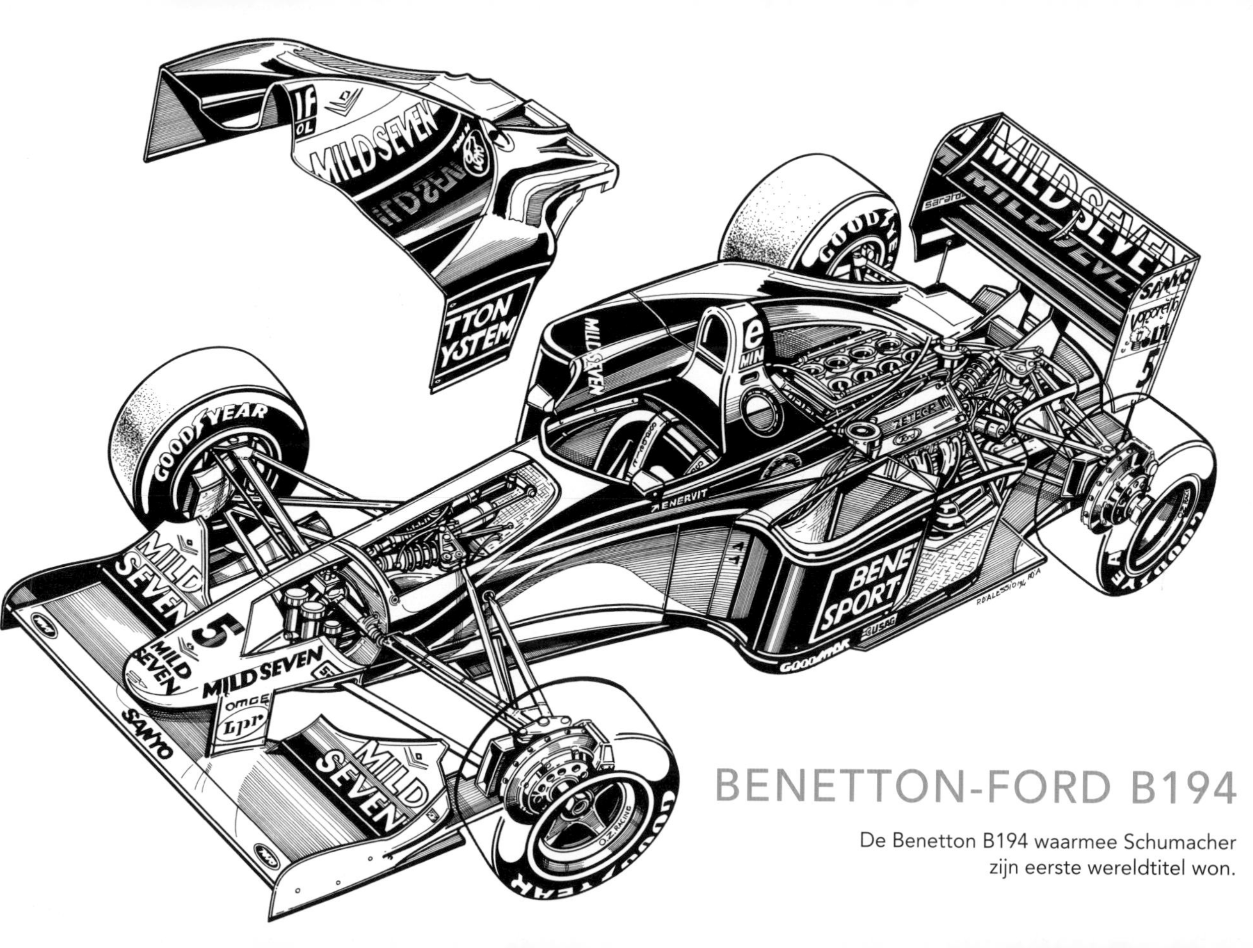

BENETTON-FORD B194

De Benetton B194 waarmee Schumacher
zijn eerste wereldtitel won.

MILD SEVEN
RENAULT
elf
SEVEN
Bitburger
Flymo
GOODYEAR
TECHNOGYM
BENETTON SPORTSYSTEM
MAGNETI MARELLI
Kickers
1

1995

1995

Voor het eerst in zijn carrière begon Michael Schumacher een nieuw seizoen met nummer 1 op zijn wagen als regerend wereldkampioen. Vroeger omschreef Enzo Ferrari deze erkenning als het begin van 'de neerwaartse spiraal van de kampioen'.
Op Schumacher had het echter het tegenovergestelde effect. De coureur uit Kerpen was nauwelijks tevreden met zijn titel uit 1994 en wilde de hele wereld laten zien dat hij niet toevallig wereldkampioen was geworden, maar dat het de eerste parel was in een schitterende carrière. Van zijn kant spande Benetton zich tot het uiterste voor hem in. De nog steeds voortreffelijke V8 Ford Zetec-R motor uit 1994 werd vervangen door de krachtige tiencilindermotor van Renault. Dat was dezelfde motor als waarmee Williams reed, en hij leverde een aanzienlijk groter vermogen en een betere bestuurbaarheid. Schumacher gebruikte het vermogen van de Franse V10 motor ter compensatie van de technische zwakheid van de Benetton B195 en behaalde de tweede wereldtitel van zijn carrière, met negen overwinningen en 102 punten op zijn naam.
Aan het eind van het seizoen verbaasde Schumacher de wereld echter toen hij wegging bij het team onder leiding van Flavio Briatore. Aangetrokken door een lucratief contract en misschien ook na een 'duwtje' van Bernie Ecclestone, de onbetwiste baas van de Formule 1, verwisselde Michael Schumacher Benetton voor Ferrari. Het was de bedoeling dat hij de wereldtitel na lange tijd weer naar Maranello zou brengen.

MILD
SEVEN
MAGNETI MARELLI
elf RENAULT
Flymo
MILDSEVEN
BENETTON SPORTSYSTEM
MILD SEVEN
Bitburger
elf
1
brembo
ORACLE
sikkens
EAGLE
GOODYEAR

Benetton voerde grote wijzigingen voor 1995 door: de B195 kreeg nummer 1 op zijn neus en werd voorzien van de tiencilindermotor van Renault.

boro
MILD
SEVEN
MILD SEVEN
elf
MILD
Bitburger
Flymo
brembo
ORACLE
GOODYEAR
MILD SEVEN

MILD SEVEN
MILD
SEVEN
1
MILD
BENETTON
ENERVIT
SEVEN

Hoewel de Benetton B195 een moeilijke wagen was om mee te rijden, reed Schumacher daarmee negen keer onder de zwart-wit geblokte vlag door.

BENETTON
E
MAGNETI MARELLI
Bitburger
NETTON
RENAULT
RENAULT
ENERVIT
seal's system
TECHNOGYM
elf
sikkens
ORACLE
USAG
brembo
GOODYEAR
GOODYEAR

EVEN
MILD SEVEN
MILD SEVEN
MILD SEVEN
MILD SEVEN
MILD SEVEN
RENAULT
BENETTON POWER BY RENAULT

MILD
SEVEN
1
Bitburger
MILD
SEVEN
BENETTON
SPORTSYSTEM
MILD SEVEN
MILD SEVEN
ORACLE
sikkens
brembo
GOODYEAR
ENERVIT

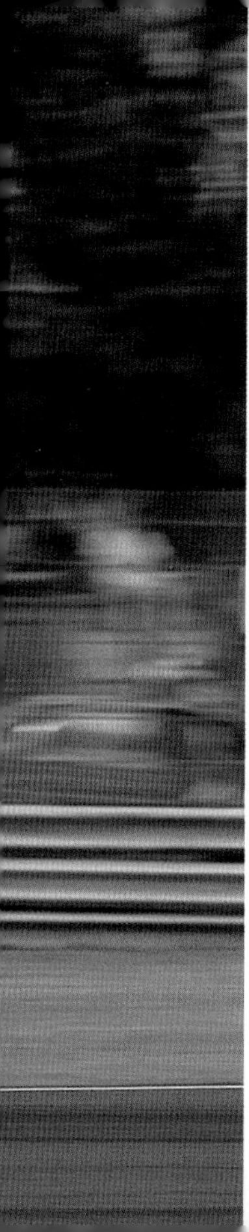

Schumacher moest in 1995 opnieuw Damon Hill in de Williams-Renault van zich afhouden. Hill bleef een concurrent tot de laatste GP van dat seizoen op het circuit van Aida.

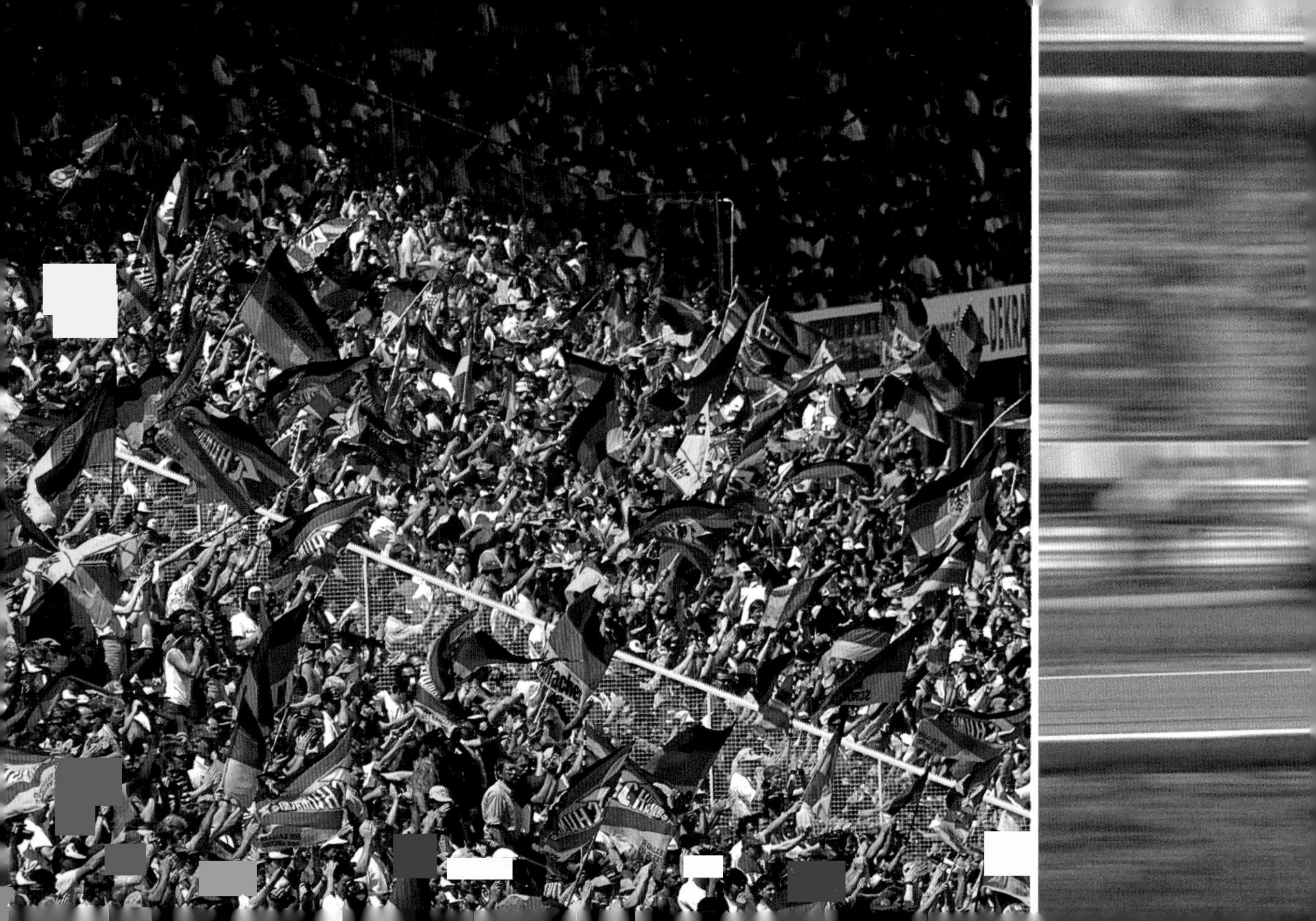

BENETTON
BENETTON
elf
BENETTON
Bitburger
GOODYEAR
brembo
ORACLE

MILD SEVEN
MILD SEVEN
MILD SEVEN
elf
GOODYEAR

In de zomer van 1995 begon de sensationele scheiding tussen de regerend wereldkampioen en Benetton, met steun van Bernie Ecclestone, die erg graag een succesvol Ferrari-team in de Formule 1 wilde.

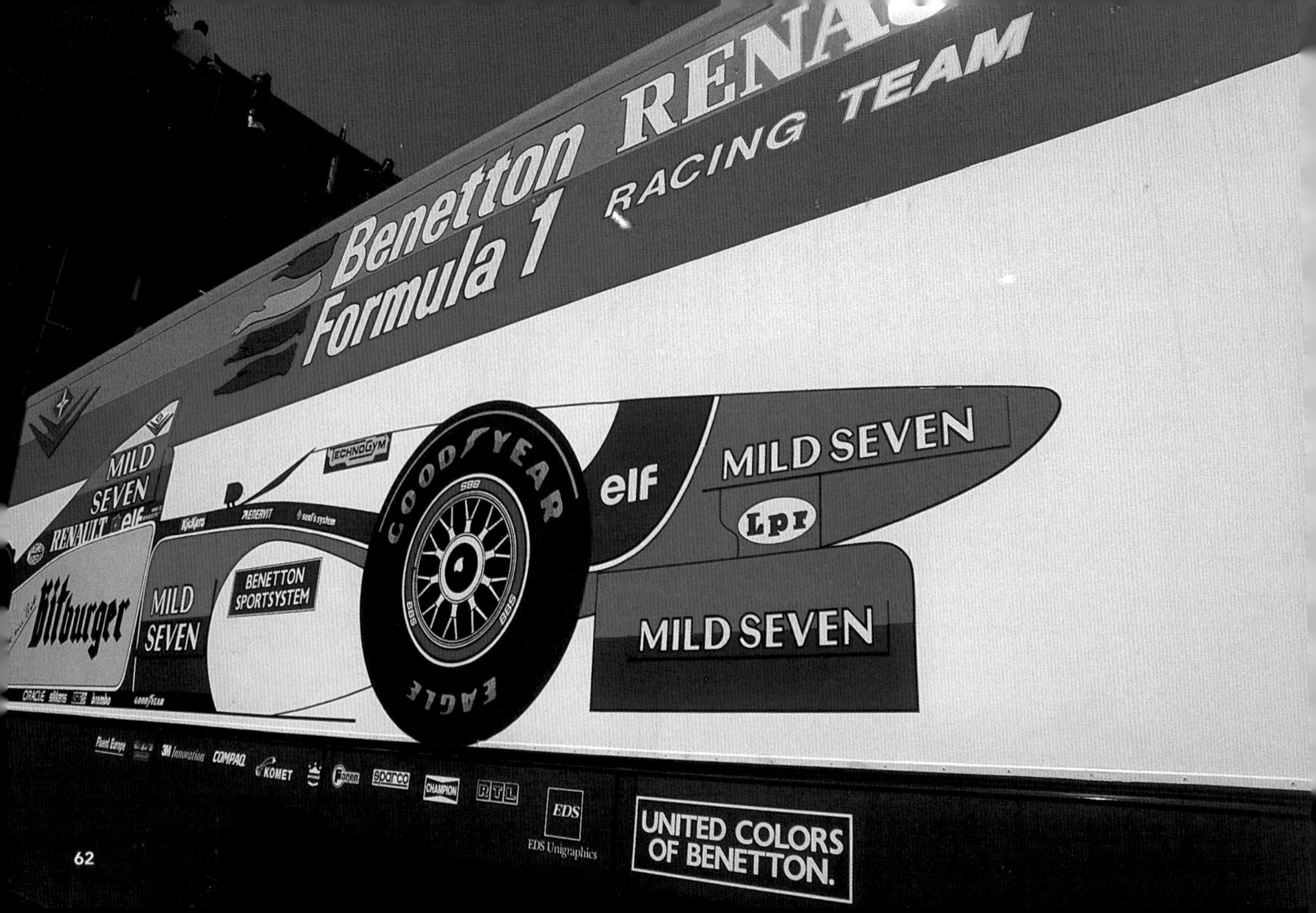
Benetton RENA
Formula 1
RACING TEAM
MILD SEVEN
SEVEN
RENAULT
elf
TECHNOGYM
GOODYEAR
EAGLE
BBS
elf
MILD SEVEN
Lpr
MILD SEVEN
Bitburger
MILD
SEVEN
BENETTON
SPORTSYSTEM
KOMET
sparco
CHAMPION
RTL
EDS
EDS Unigraphics
3M Innovation
COMPAQ
UNITED COLORS
OF BENETTON.

MILD
SEVEN
SONAX
MINOL
MAGNETI
MARELLI
SEVEN
RENAULT

SCHUMACHER
RENAULT F1
KicKers
ENERVIT
seal's system
TECHNOGYM
elf
MILD
SEVEN
RENAULT
RENAULT
GOODYEAR
USAG
brembo

Op het podium van Aida vieren Flavio Briatore en Schumacher de verovering van de tweede wereldtitel voor de Duitser, die aan het eind van het seizoen Benetton verruilde voor Ferrari.

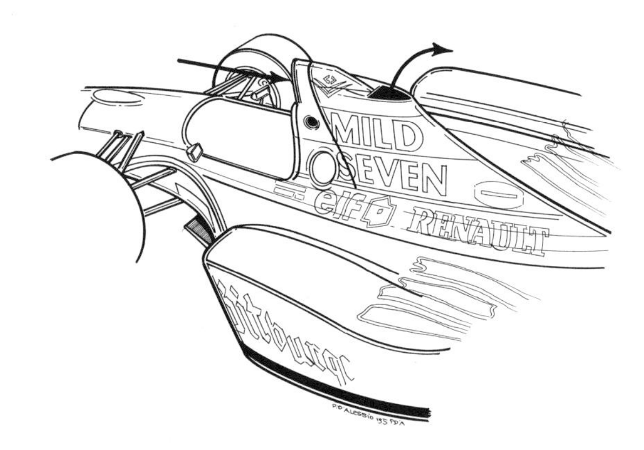

BENETTON-RENAULT B195

De Benetton-Renault B195 was een goede wagen,
maar niet onoverwinnelijk.

Shell
Marlboro
FedEx
TIM

2000

2000

Na drie vergeefse pogingen (1997, 1998 en 1999) behaalde Michael Schumacher in 2000 eindelijk zijn derde wereldkampioenschap en bovenal mocht Ferrari na 21 jaar weer de wereldtitel voor coureurs dragen. De laatste wereldtitel die door een Ferrari-coureur was gewonnen, was die van de Zuid-Afrikaan Jody Scheckter in 1979.
Ondanks negen overwinningen (tien in totaal, met die van Barrichello in Duitsland) ging het niet allemaal van een leien dakje voor Schumacher. Nadat hij de eerste helft van het seizoen had gedomineerd (met overwinningen in Australië, Brazilië en op Imola), werd de Duitser in Monte Carlo met beide benen op de grond gezet toen hij in de laatste fase van de race uitviel wegens een gebroken uitlaat. Dat herhaalde zich in Frankrijk en op Hockenheim, waar Schumacher uitviel wegens motorproblemen van zijn Ferrari.
De regerend wereldkampioen, de Fin Mika Hakkinen, profiteerde van Schumachers problemen en nam na de race op Spa-Francorchamps de leiding in het wereld-kampioenschap. De Duitser hield echter het hoofd koel en kreeg vanaf de GP van Italië weer de vorm die hij in het begin van het seizoen had. In een betrouwbare en competitieve Ferrari won Schumacher de GP op Monza en die in de Verenigde Staten, voor het eerst gehouden op het circuit van Indianapolis. In Suzuka (Japan) wist hij eindelijk de vloek op te heffen die op hem en Ferrari leek te liggen, door de wereldtitel op zijn naam te zetten.

Marlboro
Shell
FedEx
TIM
tic tac

MELBOURNE

Het kampioenschap van 2000 begon met een overwinning van Michael Schumacher en zijn Ferrari F1 2000 in de GP van Australië. Hiernaast de Duitser op het podium met zijn nieuwe teamgenoot, Rubens Barrichello.

tic tac
tic tac
KERAKOLL
M. SCHUMACHER
TOMMY
HILFIGER

Marlboro
3
MAGNETI
MARELLI
FedEx
FedEx

Na Australië en Brazilië was Imola aan de beurt. Door Ferrari's thuiswedstrijd te winnen zette Schumacher een belangrijke stap op weg naar het wereldkampioenschap van 2000.

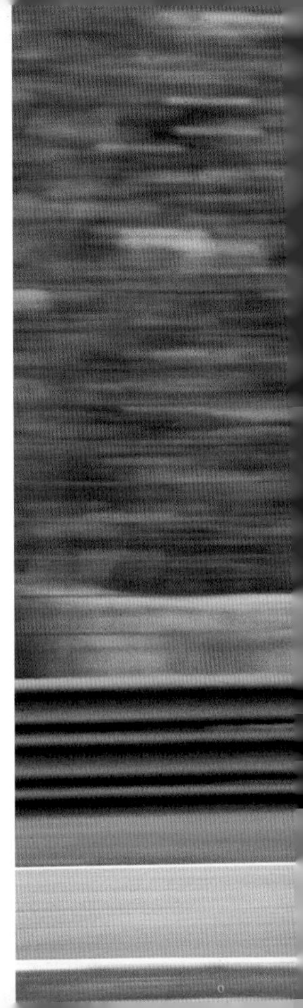

Shell
MAGNETI MARELLI
Marlboro
FIAT
Marlboro
tic tac
FedEx
MAHLE SKF
TIM

TIM

Marlboro
Shell
tic tac
FedEx
TIM
POTENZA
BRIDGESTONE

tic tac
Marlboro
TIM
MACHER
Marlboro

Marlboro
KERAKOLL
M. SCHUMACHER
tic tac
TIM
Marlboro
BRIDGESTONE
Marlboro
tic tac
TIM
L'ORÉAL PARIS
HELIX
BRIDGESTONE
Marlboro
tic tac
TIM
L'ORÉAL PARIS
Marlboro
OMP
M. Sch

Marlboro
RSM 230
MAGNETI MARELLI
FedEx
FedEx

De monteurs van Ferrari deinzen terug van Schumachers F1 2000 en de Duitse wereldkampioen rijdt weer snel weg na een korte pitstop.

Marlboro
TRIBUNE
AGNETI
SELÈNIA
MOTOR OI
GAULOISES
zepter
cosmetics
Marlboro
Marlboro
Marlboro
Shell
FedEx
TIM

Shell
tic tac
FedEx
TIM

Bladzijde 86: de Ferrari van Schumacher sprint met veel wielspin weg bij de start van de GP van Frankrijk.

De Duitser in actie.

Marlboro
Marlboro
MAGNETI MARELLI
FedEx
FedEx

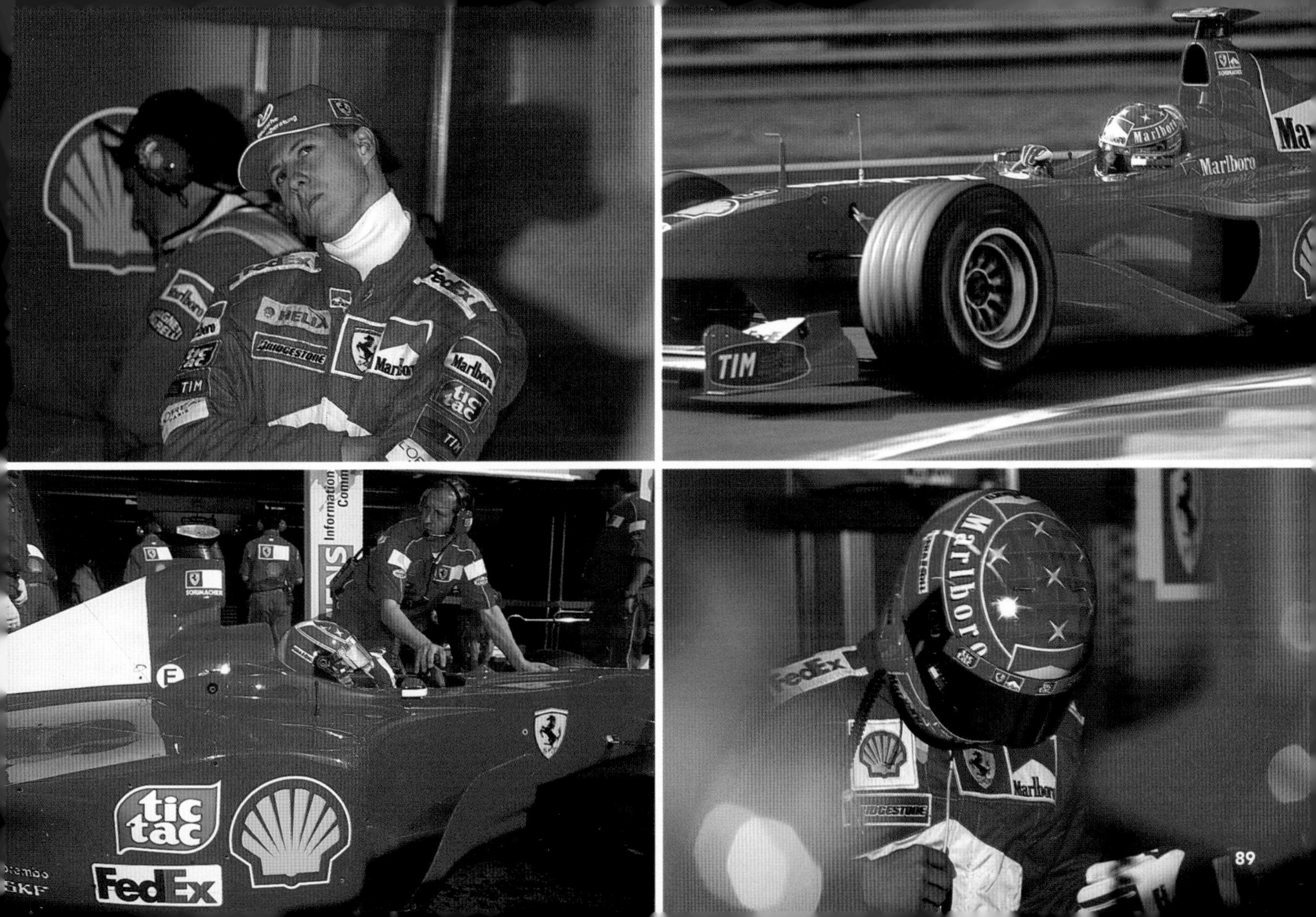
FedEx
HELIX
BRIDGESTONE
Marlboro
tic tac
TIM
Marlboro
TIM
SCHUMACHER
Information
tic tac
FedEx
brembo
SKF
Marlboro
FedEx
Marlboro

Het hart van de *tifosi* van het Steigerend Paard klopt voor Michael Schumacher, de kampioen uit Kerpen (hierboven).

tic tac
Marlboro
Marlboro
TIM
Marlbo

CAMPARI
D' ITALIA
MONZA 2000

SAP
UNITED STA
AND PRIX
APOLIS 2000
BRIDGESTONE
tic tac
TIM
L'ORÉAL
OMP
Marlboro
Shell
Marlboro
SAP UNITED STATES GRAND PRIX
INDIANAPOLIS 2000

De eerste plaats in de GP van Japan op Suzuka (hiernaast) bezorgt Schumacher de derde wereldtitel in zijn carrière en brengt de coureurstitel voor het eerst sinds 1979 terug naar Italië.

Marlboro
MAGNETI MARELLI
FedEx
BRIDGESTONE
FedEx
BRIDGESTONE

FERRARI F1 2000

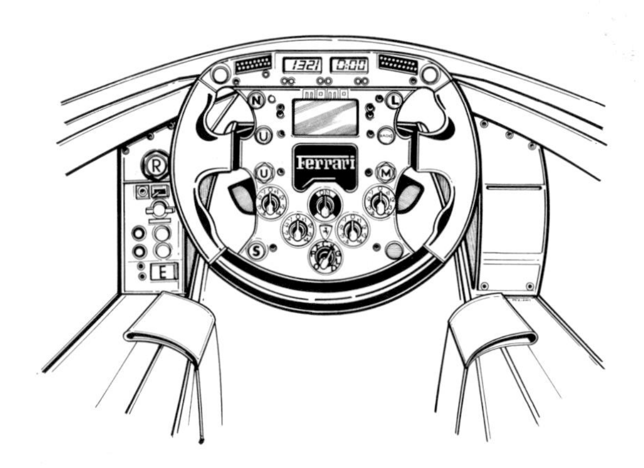

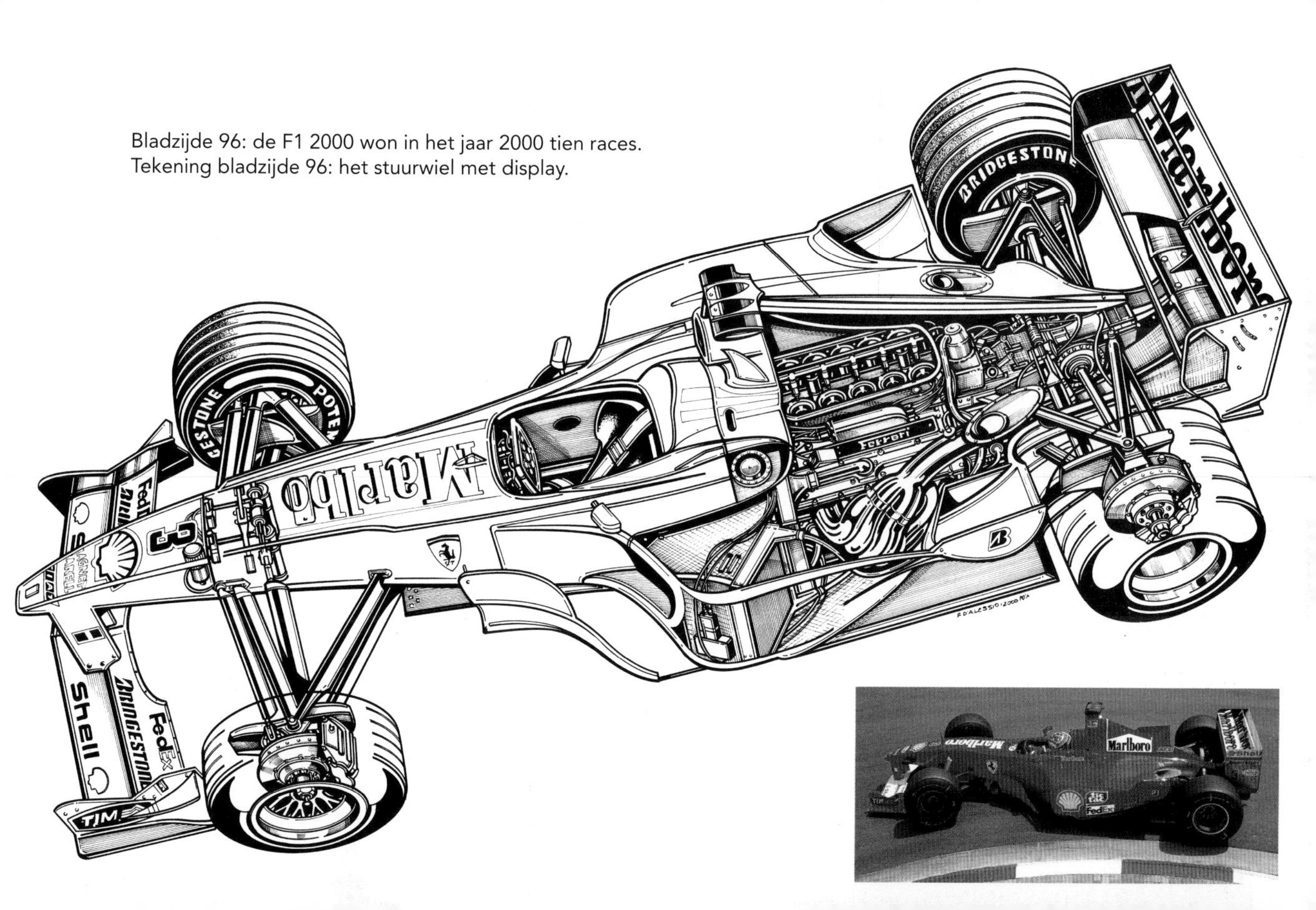

Bladzijde 96: de F1 2000 won in het jaar 2000 tien races.
Tekening bladzijde 96: het stuurwiel met display.

Marlboro
1
MAGNETI MARELLI
FIAT
FedEx
FedEx

2001

2001

Het eerste wereldkampioenschap van het nieuwe millennium begon met een nieuw reglement van de FIA, dat bedoeld was om de wagens trager te maken en de downforce te beperken. Veel waarnemers meenden dat deze regels het evenwicht in de Formule 1 zouden herstellen en Ferrari's duidelijke overmacht zouden verminderen, maar ze bereikten precies het tegenovergestelde. Het team uit Maranello en zijn topcoureur waren niet tevreden met de overwinningen en wereldtitels uit 2000 en waren uit op nog meer successen.
Dat was meteen duidelijk bij de openingsrace van het seizoen, de GP van Australië. Het koppel Schumacher-Ferrari zette een traditie voort die in 1999 met de F399 was begonnen. Het domineerde de Formule 1 vanaf het begin en gaf de concurrentie het nakijken. Op het competitieve vlak liet Ferrari geen enkele steek vallen en daarnaast bleek de nieuwe F2001 in alle opzichten superieur te zijn aan het model van 2000 en was het de wagen die het best aan de nieuwe voorschriften was aangepast.
Na een mager resultaat in Imola, waar Schumacher uitviel en Barrichello slechts als derde eindigde, veranderde de rest van het seizoen van 2001 in een onafgebroken rij van overwinningen voor de rode wagens en hun kampioen. 'Kaiser Michael' zetten negen overwinningen op zijn naam en in Hongarije, vier wedstrijden voor het eind van het raceseizoen, veroverde de Duitse coureur de vierde wereldtitel van zijn carrière, waarmee hij op gelijke hoogte met Alain Prost kwam.

Marlboro
1
MAGNETI
MARELLI
FIAT
FedEx

Shell
Marlboro
Marlboro
tic tac
FedEx
TIM

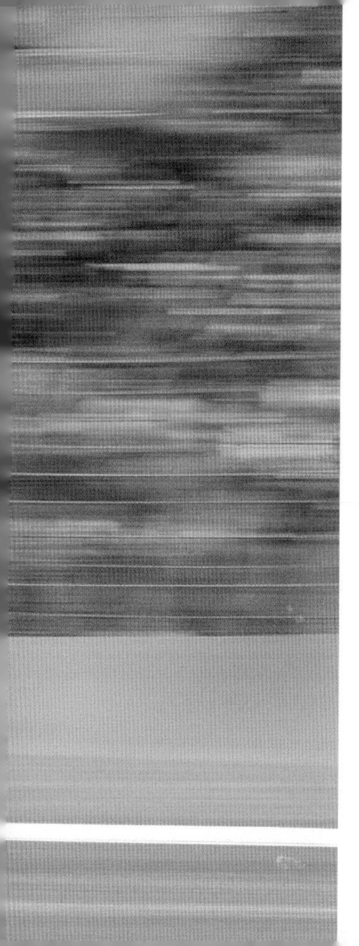

Iedereen die dacht dat Schumacher gebrek aan motivatie had en dat Ferrari in een neerwaartse spiraal zat, had het mis. In 2001 waren de Duitse coureur en de Italiaanse wagens opnieuw een onverslaanbare combinatie.

Marlboro
1
MAGNETI
MARELLI
FIAT
FedEx
BRIDGESTONE
FedEx
BRIDGESTONE
Shell
Shell

Marlboro
1
MAGNETI MARELLI
FIAT
FedEx
BRIDGESTONE
Shell
FedEx
BRIDGESTONE
Shell

Enkele technische vernieuwingen aan de Ferrari F2001, zoals de 'lepel-vormige' voorvleugel, waren vooruitstrevend en lieten Schumacher het seizoen van 2001 domineren.

Shell
Marlboro
tic tac
MAGNETI MARELLI
FIAT
TIM
FedEx

MAGNETI
MARELLI
FIAT
Marlboro
tic
tac
KEIRA
TIM
Marlboro
Marlboro
tic
tac
Marlboro
Davene
Marlboro
TIM

Shell
Marlboro
Shell
Bridgestone
Marlboro
MAGNETI MARELLI
FedEx
TIM
tic tac
FedEx

Vijf overwinningen in de GP van Monaco maakten van Schumacher de onbetwiste 'koning' van het vorstendom. Op de foto's neemt Schumacher de Loews haarspeldbocht.

MONTE CARLO
GRAN HOTEL
Marlboro
Firestone
Marlboro
Marlboro
Marlboro
Shell
BRIDGESTONE
MAGNETI MARELLI
1
FIAT
tic tac
FedEx
TIM
POTENZA
BRIDGESTONE

MARLBORO
ESPAÑA
Formula 1™
Marlboro
COMPAQ
LUCKY STRIKE
M. Schumacher
Bridgestone

Marlboro
Shell
Marlboro
Marlboro
BRIDGESTONE
1
MAGNETI MARELLI
tic tac
FedEx
MAHLE
brembo

Michael Schumacher omgeven door de media na weer een overwinning. Op bladzijde 116 feliciteert hij zijn broer Ralf, die in Canada won.

Marlboro
Marlboro
MAGNETI MARELLI
FIAT
FedEx
FedEx

BMW.WilliamsF1 Team
Marlboro
KERAKOLL
NETWORK
NORTEL NETWORKS
R CANADA

AIR CANADA
Marlboro

Michael Schumacher, Rubens Barrichello en Jean Todt vieren hun dubbele wereldtitel van 2001 op het Hongaarse GP-podium.

MAGNETI MARELLI
FedEx

Bladzijde 120:
Een ongewoon beeld: op Monza, na de tragische gebeurtenissen van 11 september, trok Ferrari de aandacht met een carrosserie zonder reclame van sponsors en een zwarte neus als teken van rouw.

Een indringend portret en een close-up van Michael Schumacher, eind 2001 viervoudig wereldkampioen.

Marlboro
TOMMY
HILFIGER
Marlboro
Marlboro

FERRARI F2001

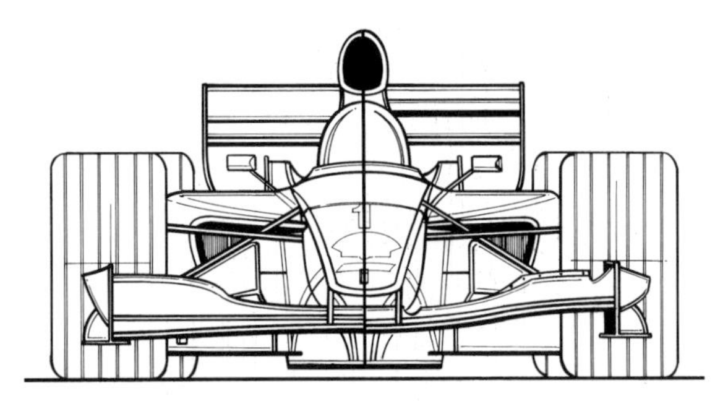

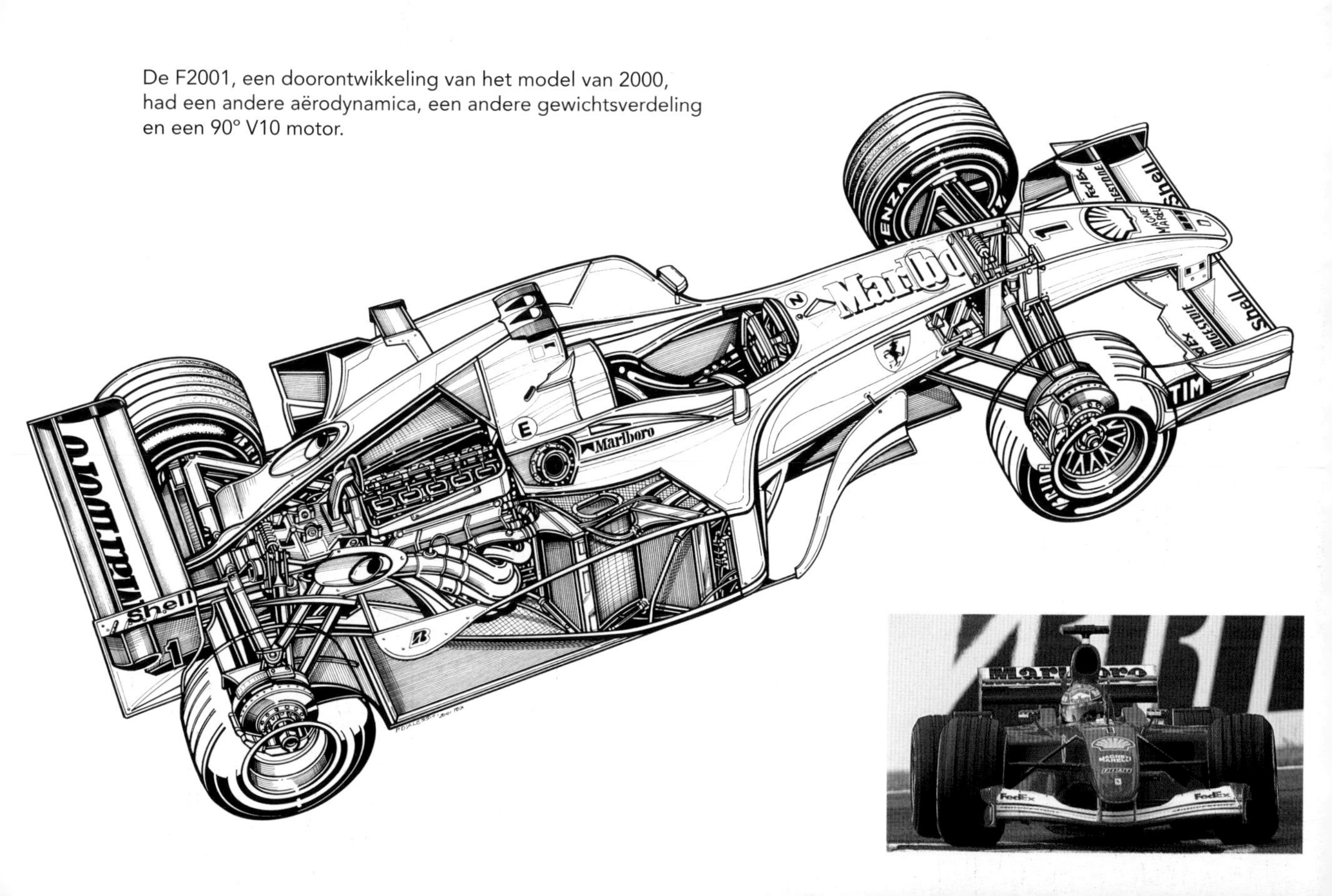

De F2001, een doorontwikkeling van het model van 2000, had een andere aërodynamica, een andere gewichtsverdeling en een 90° V10 motor.

Marlboro
Shell
vodafone
FIAT
vodafone
BRIDGESTONE
vodafone
vodafone

2002

2002

Ferrari verraste iedereen door het seizoen van 2002 te beginnen met de wagen van het vorige jaar, terwijl de revolutionaire nieuwe F2002 werd voltooid. Het resultaat bleef echter hetzelfde, de rode bolides domineerden de kwalificatie voor de GP van Australië en de Duitser behaalde een weergaloze overwinning. Dat was het begin van een recordbrekend wereldkampioenschap voor het koppel Ferrari-Schumacher: de Duitser bevestigde dat hij de beste coureur in de Formule 1 was, en de Italiaanse wagens bleken beter dan alle wagens van de concurrentie door vijftien van de zeventien races op de kalender te winnen.
Schumachers recordbrekende prestaties zijn indrukwekkend: de Duitser boekte tien overwinningen op rij, eindigde bij elke race op het podium en de derde plaats in de GP van Maleisië was zijn slechtste resultaat van dat jaar. Bovendien verbeterde Schumacher zijn record van 2001 door de titel al tijdens de GP van Frankrijk veilig te stellen, met nog zes races te gaan, en hij evenaarde het record van Juan Manuel Fangio van vijf wereldtitels, dat tot in lengte van dagen stand leek te zullen houden.
Dat was duidelijk te danken aan een combinatie van Schumachers klasse en de prestaties van de F2002, de beste Formule 1 Ferrari van alle tijden en waarschijnlijk een van de meest innovatieve en competitieve wagens in de geschiedenis van de Grand Prix.

vodafone
Marlboro
Shell
AMD
vodafone
Alenia
brembo
MAHLE
vodafone

Shell

De strijd om het wereld-kampioenschap van 2002 begon op een dramatische manier. De Ferrari van Barrichello belandde in Australië op de Williams van Ralf Schumacher en broer Michael behaalde de overwinning.

Marlboro
Marlboro
Marlboro
vodafone
Marlboro
Marlboro
vodafone
1
OLYMPUS
FIAT
BRIDGESTONE
Shell
BRIDGESTONE
vodafone

Marlboro
Shell
BRIDGESTONE
AMD
FIAT

Marlboro
Shell
AMD
Marlboro
vodafone
vodafone
1
FIAT
BRIDGESTONE
vodafone

Schumacher en zijn Ferrari F2002 gaven de concurrentie het nakijken. Na de eerste overwinning in Brazilië werd de Duitse coureur in Imola opnieuw nummer 1 (hiernaast en op het podium met Barrichello).

vodafone
FIAT
1
BRIDGESTONE
Shell

Marlboro
Marlboro
Marlboro
FIAT
vodafone
Shell
AMD

vodafone
Marlboro

'Het Fenomeen' bestudeert de tijden van zijn concurrenten voordat hij in zijn Ferrari de baan op gaat. Op de volgende bladzijde de technische geheimen van de F2002.

Shell

vodafone
vodafone

Schumacher brak alle bestaande records in zijn succesvolle seizoen van 2002. Met 144 punten op zijn naam scoorde hij er twee keer zoveel als zijn teamgenoot Barrichello.

Marlboro
vodafone
1
FIAT
vodafone
vodafone

Shell
Bridgestone
AMD
Marlboro
Marlboro
vodafone
vodafone
brembo
Marlboro
vodafone

Marlboro
vodafone
Marlboro
KERAKOLL

Marlboro
KERAKOLL
vodafone
Marlboro

In 2002 was hij in Frankrijk al zeker van de wereldtitel, zes races voor het einde van het seizoen (volgende bladzijden).

1999
2000
2001

dafone
vodafone
FIAT
vodafone
vodafone

vodafone
vodafone
FIAT

De verrassende Ferrari F2002 vormde een belangrijke bijdrage aan het succesvolle seizoen van Michael Schumacher.

De technische superioriteit van de Ferrari F2002 werd ook aangetoond door Rubens Barrichello, die in 2002 achter Schumacher eindigde met vijf overwinningen op zijn naam.

AMD
vodafone
vodafone
2
FIAT
BRIDGESTONE
vodafone
BRIDGESTONE
vodafone

2002
L'ORÉAL
PARIS

vodafone

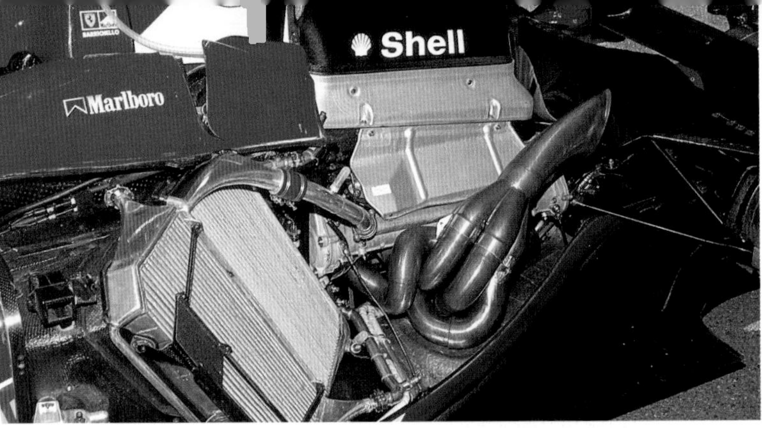

FERRARI F2002

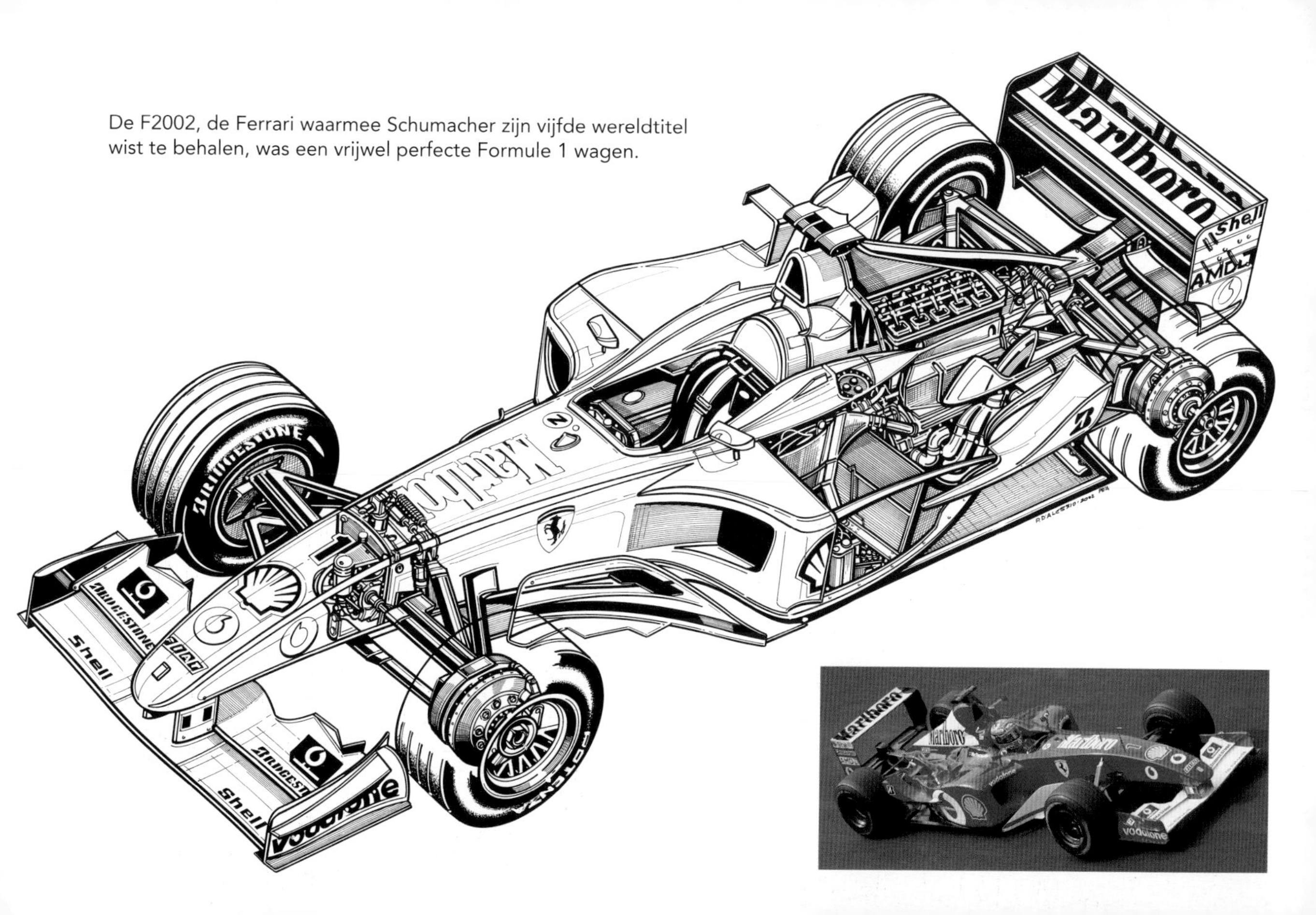

De F2002, de Ferrari waarmee Schumacher zijn vijfde wereldtitel wist te behalen, was een vrijwel perfecte Formule 1 wagen.

Marlboro
vodafone
FIAT
BRIDGESTONE

2003

2003

Terwijl de titel van 1994 de meest controversiële in Michael Schumachers carrière was, was het kampioenschap van 2003 beslist het zwaarst bevochten en had hij toen het meest van zijn concurrenten te duchten. Ondanks de voorspellingen dat hij weer favoriet zou zijn, kwam het koppel Ferrari-Schumacher in het begin van het seizoen moeizaam op gang en moest het tot de vierde race, in Imola, wachten voordat Schumacher zijn eerste overwinning boekte.
De Grand Prix van San Marino was de laatste triomf van de glorieuze Formule 1 carrière van de F2002, maar de overwinning werd niet uitbundig gevierd omdat de moeder van Michael en Ralf op de avond voor de race was overleden. Nadat Ferrari het moeizame begin te boven was gekomen, keerde het merk terug naar de top met de gloednieuwe F2003 GA, die was opgedragen aan de kort daarvoor overleden Gianni Agnelli.
Nadat Schumacher in Spanje, Australië en Canada had gewonnen en in Monte Carlo derde was geworden, leek het erop dat de Italiaanse wagens weer hun gebruikelijke dominante positie hadden ingenomen. Maar met de races in de zomermaanden begonnen Ferrari en vooral de Bridgestone banden op de F 2003 GA aan een moeilijke tijd. Terwijl Williams, McLaren en Renault, allemaal op Michelin rubber, overwinningen boekten, werd het team van het Steigerend Paard in een defensieve rol gedwongen om de schade beperkt te houden.
De ommekeer kwam op Monza. De nieuwe Bridgestone banden voor de GP van Italië hielpen Ferrari er weer bovenop. Schumacher, die op pole positie kwam, behaalde een welverdiende overwinning in een van de zwaarste races van zijn carrière.
Veertien dagen later herhaalde hij dat resultaat op het circuit van Indianapolis, in een geruchtmakende, door regen beïnvloede race, die hem al bijna zeker maakte van zijn zesde wereldtitel.

Marlboro
Marlboro
Marlboro
Shell
AMD
FIAT
BRIDGESTONE

Marlboro
Marlboro
Shell
AMD
Marlboro
Shell
vodafone
Marlboro
Marlboro
Marlboro
Shell
AMD
Marlboro
Marlboro
Shell
oro

Marlboro
Marlboro
Marlboro
Marlboro
Marlboro
Marlboro

Marlboro
Shell

Na de overwinning op Imola werd de F2002 afgedankt en vervangen door de F2003 GA. Schumacher won in Spanje (vorige bladzijde) en in Australië (hiernaast).

MILD SEVEN
elf

vodafone
vodafone
Schuberth
Schuberth
vodafone
vodafone
Marlboro

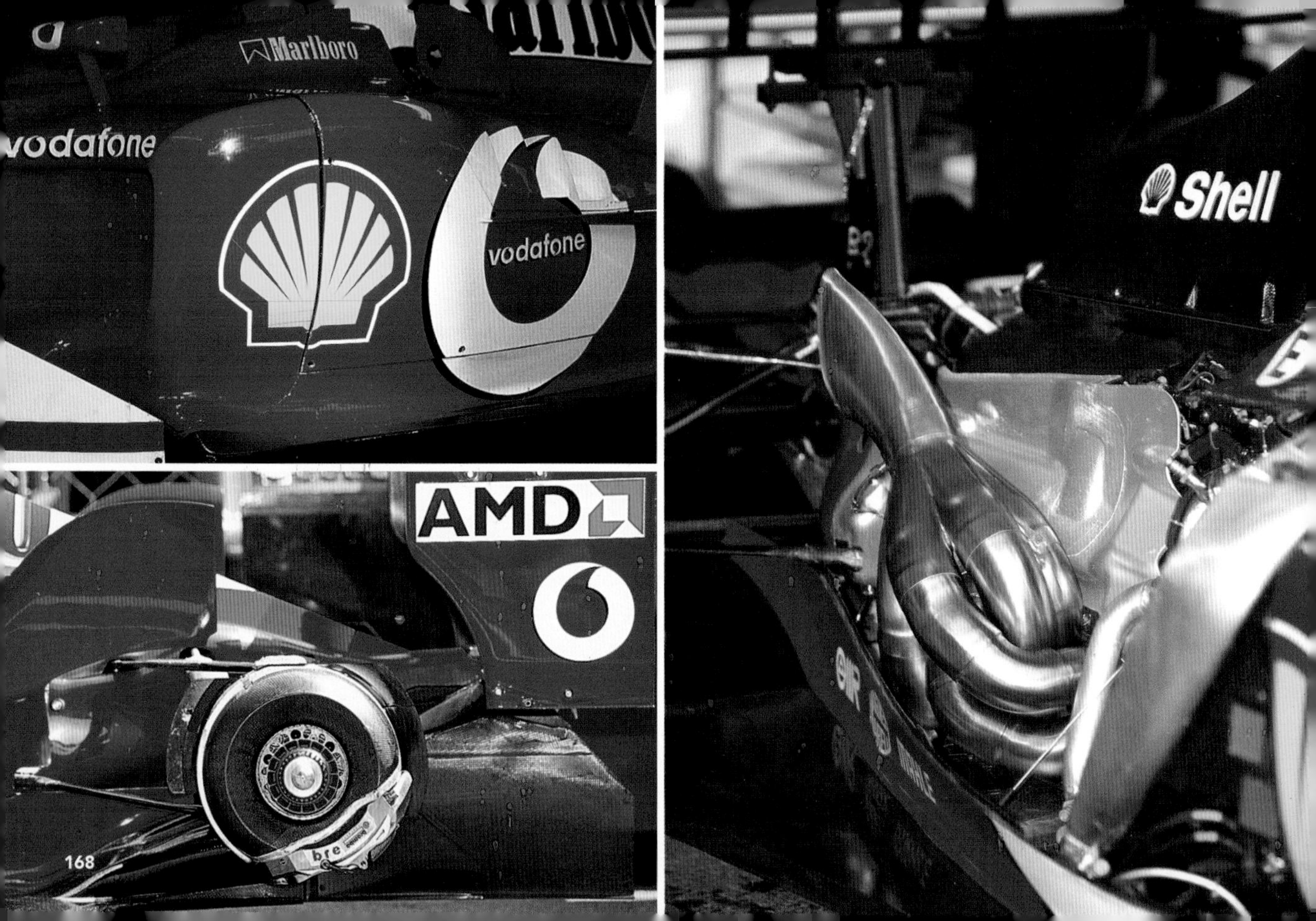
Marlboro
vodafone
vodafone
AMD
Shell

vodafone
vodafone
OLYMPUS
FIAT
vodafone
vodafone

Marlboro
vodafone
Marlboro
vodafone
Marlboro
AMD
Marlboro
vodafone
BRIDGESTONE
Marlboro
vodafone
L'ORÉAL
PARIS
Marlboro

Tijdens de races in de zomermaanden moest Schumi zich verdedigen tegen de aanvallen van Williams (hiernaast), McLaren en Renault en hun coureurs: Juan Pablo Montoya, Ralf Schumacher, Kimi Raikkonen en Fernando Alonso (volgende bladzijden).

FedEx
Marlboro
vodafone
FIAT

Marlboro
Budweiser
KING OF BEERS
BR
PETROBRAS

Computer Associates
SIEMENS
BOSS
Mobil
1
SAP
invent
hp
accenture

Marlboro
vodafone
vodafone
Schuberth
Schuberth
Marlboro

vodafone
vodafone
Formula 1
Formula 1

Marlb
Marlboro
Marlboro

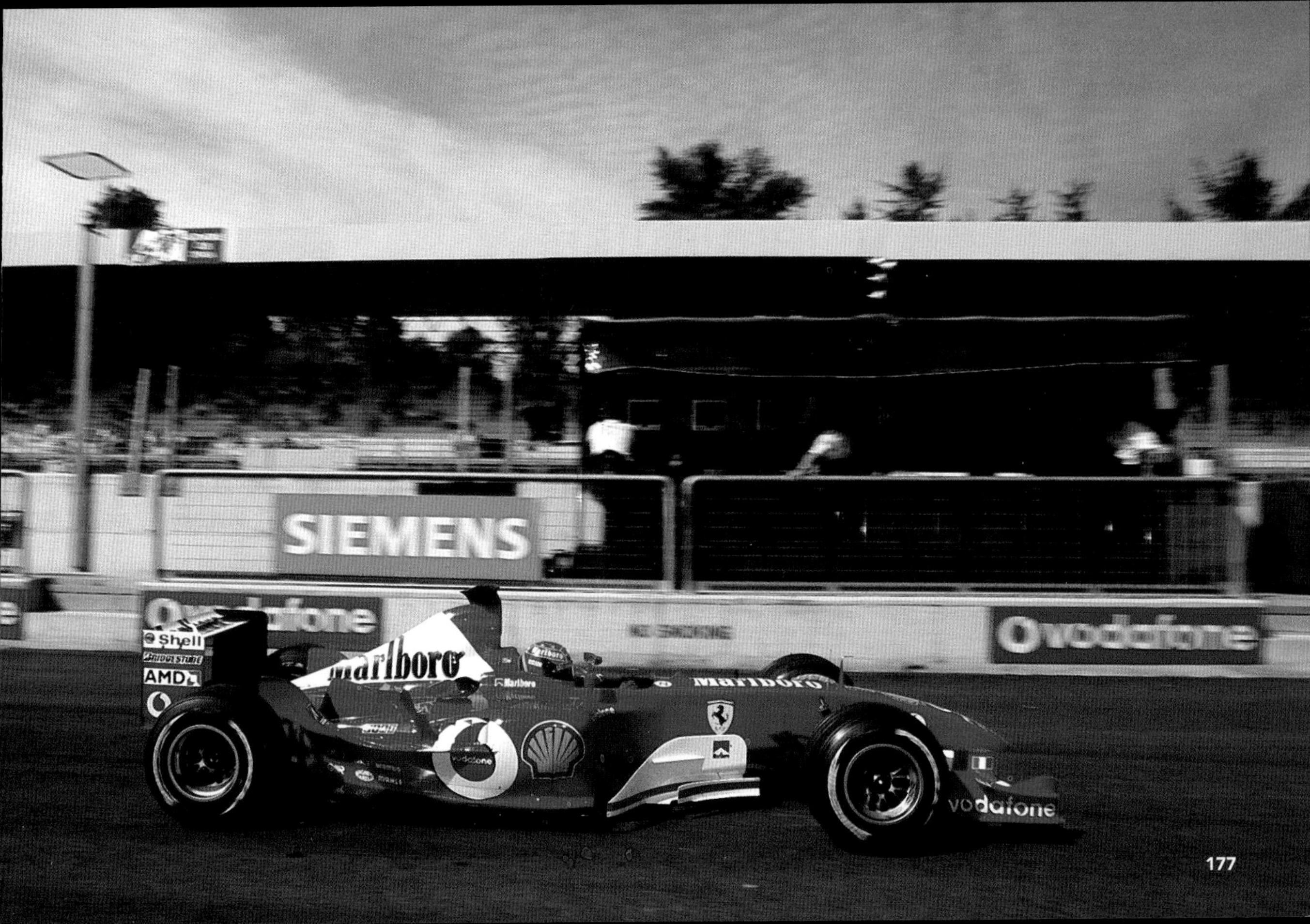
SIEMENS
vodafone
Shell
AMD
Marlboro
Marlboro
vodafone

Marlboro
Marlboro
FIAT
vodafone
acer
SKF
brembo
MAGNETI MARELLI
MAHLE

Marlboro
vod

Met de wereldtitel van 2003 werd Michael Schumacher de succesvolste coureur aller tijden.

vodafone
Marlboro
vodafone
PIAGGIO
AERO

FERRARI F2003 GA

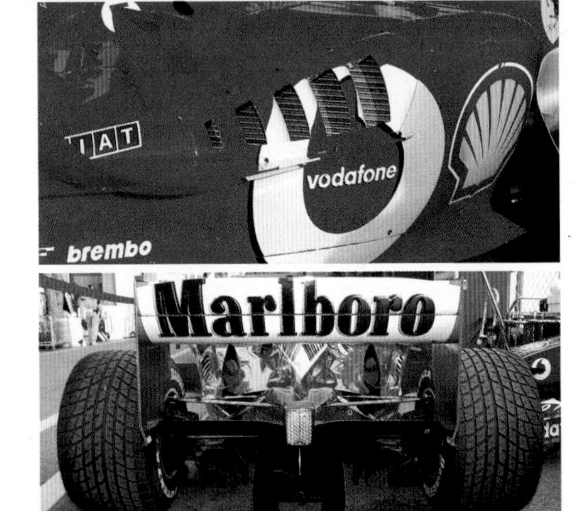

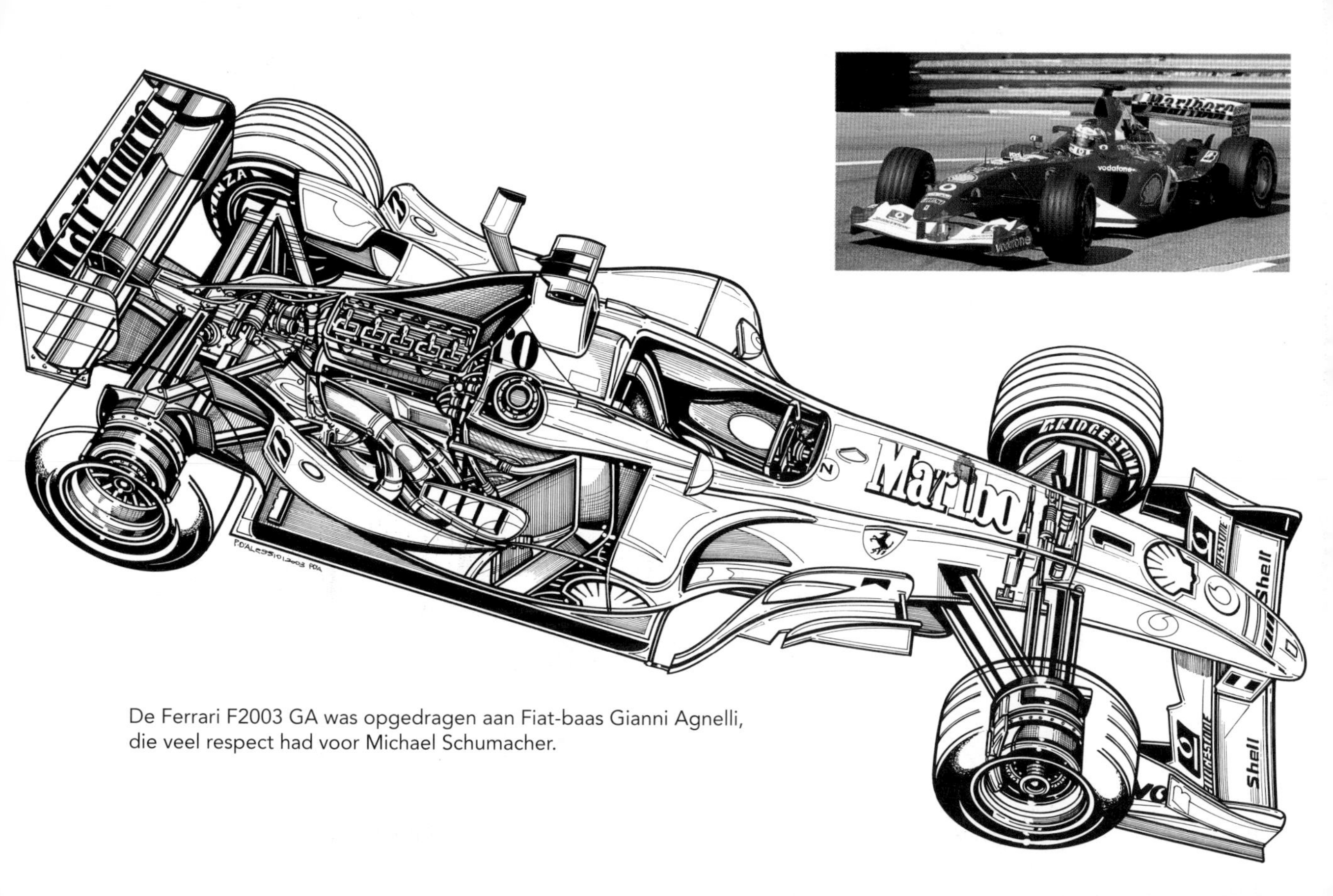

De Ferrari F2003 GA was opgedragen aan Fiat-baas Gianni Agnelli, die veel respect had voor Michael Schumacher.

Formula 1
vodafone
vodafone
vodafone
vodafone
vodafone
vodafone
vodafone
Marlboro
Castrol
MUMM
BARRICHELLO

Erelijst

1992	Spa-Francorchamps	30.8.1992	Benetton-Ford 192
1993	Estoril	26.9.1993	Benetton-Ford 194
1994	São Paolo	27.3.1994	Benetton-Ford 194
	Aida	17.4.1994	Benetton-Ford 194
	Imola	1.5.1994	Benetton-Ford 194
	Monte Carlo	15.5.1994	Benetton-Ford 194
	Montreal	27.3.1994	Benetton-Ford 194
	Magny Cours	3.7.1994	Benetton-Ford 194
	Hungaroring	15.5.1994	Benetton-Ford 194
	Jerez	27.3.1994	Benetton-Ford 194
1995	São Paolo	26.3.1995	Benetton-Ford 195
	Catalunya	14.5.1995	Benetton-Ford 195
	Monte Carlo	28.5.1995	Benetton-Ford 195
	Magny Cours	2.7.1995	Benetton-Ford 195
	Hockenheim	30.7.1995	Benetton-Ford 195
	Spa-Francorchamps	27.8.1995	Benetton-Ford 195
	Nurburgring	1.10.1995	Benetton-Ford 195
	Aida	22.10.1995	Benetton-Ford 195
	Suzuka	29.10.1995	Benetton-Ford 195

1996	Catalunya	2.6.1996	Ferrari F310
	Spa-Francorchamps	25.8.1996	Ferrari F310
	Monza	8.9.1996	Ferrari F310
1997	Monte Carlo	11.7.1997	Ferrari F310B
	Montreal	15.6.1997	Ferrari F310B
	Magny Cours	11.7.1997	Ferrari F310B
	Spa-Francorc.	24.8.1997	Ferrari F310B
	Suzuka	11.7.1997	Ferrari F310B
1998	Buenos Aires	12.4.1998	Ferrari F300
	Montreal	7.6.1998	Ferrari F300
	Magny Cours	28.6.1998	Ferrari F300
	Hungaroring	16.8.1998	Ferrari F300
	Monza	13.9.1998	Ferrari F300
1999	Imola	5.5.1999	Ferrari F399
	Monte Carlo	16.5.1999	Ferrari F399
2000	Melbourne	12.3.2000	Ferrari F1 2000
	Interlagos	26.3.2000	Ferrari F1 2000
	Imola	9.4.2000	Ferrari F1 2000
	Nurburgring	21.5.2000	Ferrari F1 2000
	Montreal	18.6.2000	Ferrari F1 2000
	Monza	10.9.2000	Ferrari F1 2000
	Indianapolis	24.9.2000	Ferrari F1 2000
	Suzuka	8.10.2000	Ferrari F1 2000
	Sepang	22.10.2000	Ferrari F1 2000

Year	Venue	Date	Car
2001	Melbourne	4.3.2001	Ferrari F2001
	Sepang	18.3.2001	Ferrari F2001
	Jerez	29.4.2001	Ferrari F2001
	Monte Carlo	27.5.2001	Ferrari F2001
	Nurburgring	4.3.2001	Ferrari F2001
	Magny Cours	1.7.2001	Ferrari F2001
	Hungaroring	19.8.2001	Ferrari F2001
	Spa-Francorchamps	2.9.2001	Ferrari F2001
	Suzuka	14.10.2001	Ferrari F2001
2002	Melbourne	3.3.2002	Ferrari F2001
	Interlagos	31.3.2002	Ferrari F2002
	Imola	14.4.2002	Ferrari F2002
	Catalunya	28.4.2002	Ferrari F2002
	Zeltweg	12.5.2002	Ferrari F2002
	Montreal	9.6.2002	Ferrari F2002
	Silverstone	7.7.2002	Ferrari F2002
	Magny Cours	21.7.2002	Ferrari F2002
	Hochenheim	28.7.2002	Ferrari F2002
	Spa-Francorchamps	1.9.2002	Ferrari F2002
	Suzuka	13.10.2002	Ferrari F2002
2003	Imola	20.4.2003	Ferrari F2002
	Catalunya	28.4.2003	Ferrari F2003 GA
	Zeltweg	18.5.2003	Ferrari F2003 GA
	Montreal	15.6.2003	Ferrari F2003 GA
	Monza	14.9.2003	Ferrari F2003 GA
	Indianapolis	28.9.2003	Ferrari F2003 GA

Marlboro
Marlboro
TIM

Paolo D'Alessio (Turijn, 1957) raakte tijdens zijn studie architectuur gefascineerd door de motorsport. Hij publiceerde in enkele motorvakbladen en begon de Formule 1-races te volgen. Vooral de technische ontwikkeling van Grand Prix-racewagens had zijn bijzondere aandacht. Sinds zijn eerste boek over Ferrari in 1985 verscheen, heeft hij aan meer dan twintig artikelen en publicaties meegewerkt, waaronder de internationale jaarboeken *365 Racing Days* van 1986-1994. D'Alessio combineert zijn passie voor de motorraces met zijn werk als industrieel ontwerper. Horloges, fietsen, valhelmen, zonnebrillen, handtassen, schrijfgerei, maar ook logo's voor racewagens dragen zijn stempel. Van zijn hand verschenen tevens bij Rebo Productions de fotoboeken *Formule 1 Topteams* en *Formule 1 Emoties.*

Marlboro
vodafone
vodafone
vod